ONLY
MEN
ALOUD

Y LLYFR | THE BOOK

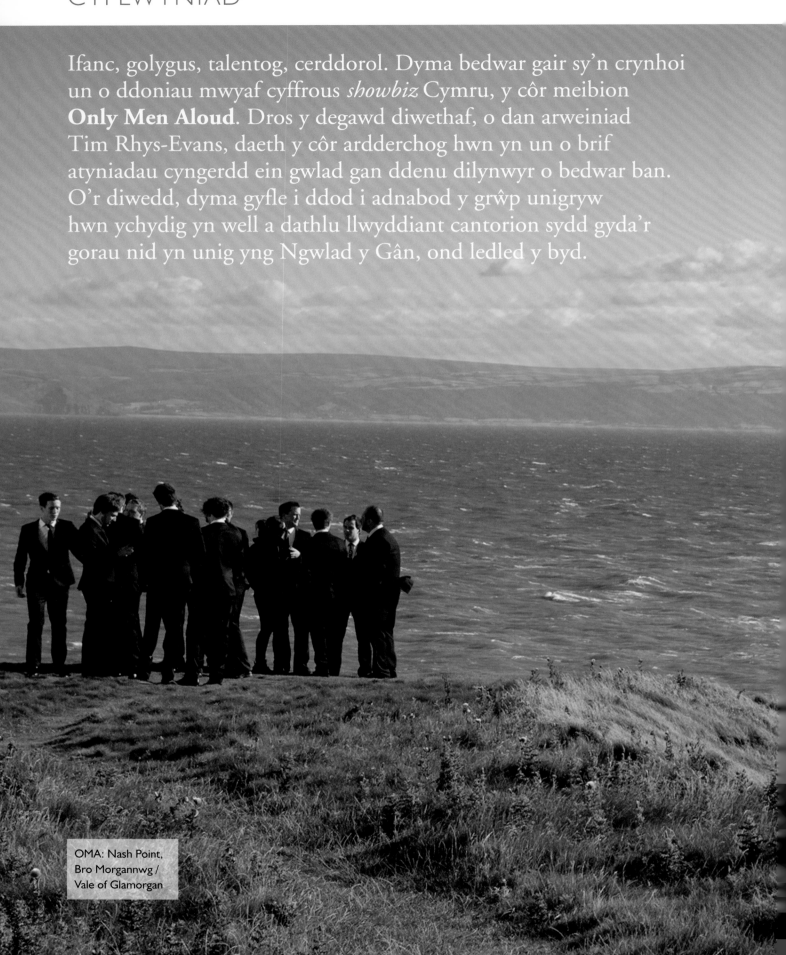

CYFLWYNIAD

Ifanc, golygus, talentog, cerddorol. Dyma bedwar gair sy'n crynhoi un o ddoniau mwyaf cyffrous *showbiz* Cymru, y côr meibion **Only Men Aloud**. Dros y degawd diwethaf, o dan arweiniad Tim Rhys-Evans, daeth y côr ardderchog hwn yn un o brif atyniadau cyngerdd ein gwlad gan ddenu dilynwyr o bedwar ban. O'r diwedd, dyma gyfle i ddod i adnabod y grŵp unigryw hwn ychydig yn well a dathlu llwyddiant cantorion sydd gyda'r gorau nid yn unig yng Ngwlad y Gân, ond ledled y byd.

OMA: Nash Point,
Bro Morgannwg /
Vale of Glamorgan

Young, handsome, talented, musical. Four words which sum up one of the most exciting Welsh showbiz talents, **Only Men Aloud**. During the past decade, under the leadership of Tim Rhys-Evans, this excellent choir have become a major draw at concert venues across the country, and have attracted worldwide admiration from fans. At last, here is a chance to get to know this unique group a little better, and to celebrate the success of singers whose music has burst the bounds of their native Land of Song.

CYNNWYS

LAST CHOIR STANDING

DYMA'R DYNION

MEET THE MEN

CONTENTS

YN Y DECHREUAD

Pentref o dai teras lliwgar yn glynu'n sownd wrth lethrau Cwm Rhymni yw Tredegar Newydd.

Lle diwydiannol oedd Tredegar Newydd flynyddoedd yn ôl, ac afon Rhymni'n llifo drwy'r pentref o Fannau Brycheiniog yn y gogledd i lawr i'r môr yng Nghaerdydd. Yr afon oedd y ffin rhwng Morgannwg a sir Fynwy bryd hynny ond, erbyn hyn, rhan o Fwrdeistref Sirol Caerffili yw'r lle. Bellach, mae'r pyllau glo wedi cau a throwyd yr unig adeilad glofaol sy'n dal i sefyll yn amgueddfa fodern.

Bachgen o Dredegar Newydd yw Tim Rhys-Evans, ac yma, yng nghapel y Bedyddwyr Saesneg, Carmel, y dechreuodd Only Men Aloud yn 2000. Dim ond 28 mlwydd oed oedd Tim bryd hynny ond roedd e'n awyddus i ddod â chwa o awyr iach i draddodiad parchus ac anrhydeddus corau meibion cymoedd de Cymru.

> Côr meibion enwog Pendyrus (dde), rhan o draddodiad anrhydeddus yn y Cymoedd sy'n parhau hyd heddiw, yn arddangos eu llwyddiant yn 1928 – sylwch ar y cwpanau a'r tlysau yn y rhes flaen!

BACK TO THE ROOTS

New Tredegar is a village of brightly-coloured terraced houses, clinging to the steep sides of the Rhymney Valley.

> The famous Pendyrus
Male Choir, part of a
noble tradition in the
South Wales Valleys which
continues to this day,
boasting their success in
1928 – note the cups and
trophies in the front row!

New Tredegar used to be an industrial centre, the Rhymney river flowing through the village from the Brecon Beacons in the north, out to sea in Cardiff. That river was the old boundary between Glamorgan and Monmouthshire, but the village is now part of Caerphilly County Borough. The pits have all closed and the only remaining colliery building is a shiny new museum.

Tim Rhys-Evans's roots are deep in New Tredegar soil, and it was here, in Carmel English Baptist Chapel, that Only Men Aloud began in 2000. Although he was only 28 years old at the time, Tim was eager to inject fresh blood into the noble and respected male voice choir tradition of the Valleys.

Aeth Tim ati i roi cynnig ar sefydlu côr o gantorion ifanc, brwdfrydig fyddai'n cyflwyno arlwy newydd ochr yn ochr â rhai o hen ffefrynnau'r *repertoire* traddodiadol.

Mae hi wedi bod yn dipyn o daith o'r cychwyn hwnnw i ddod yn un o gorau enwoca'r byd, ac eto nid yw Tim Rhys-Evans wedi anghofio'i wreiddiau.

'Pan aethon ni ati i drefnu dathlu deng mlynedd cyntaf OMA, roeddwn i'n gwybod yn union beth oeddwn i eisiau ei wneud, a ble,' meddai Tim. 'Fe allen ni fod wedi llogi Canolfan y Mileniwm neu Neuadd Dewi Sant i nodi ein dengmwlyddiant,' ychwanegodd, 'ond roedden ni eisiau mynd yn ôl at ein gwreiddiau, i'r capel oedd mor ganolog i'm magwraeth i, a'r lle y perfformiodd Only Men Aloud am y tro cyntaf.'

Roedd y cyngerdd, a gynhaliwyd i ddathlu Gŵyl Ddewi ar 28 Chwefror 2010, yn llwyddiant ysgubol, a phob sedd yn y capel yn llawn yng Ngharmel, Tredegar Newydd.

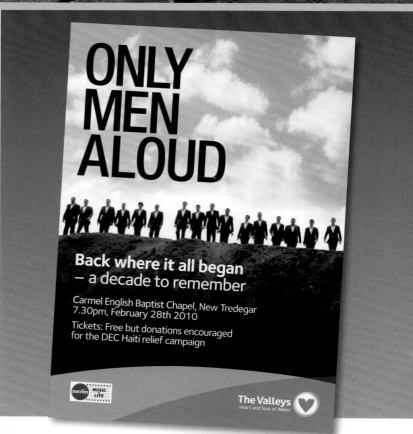

Yn 2003, dechreuodd S4C ddarlledu cystadleuaeth ar gyfer corau amatur, sef *Côr Cymru*. Dyma gyfle i'r corau gorau o Wlad y Gân gystadlu yn erbyn ei gilydd bob dwy flynedd i ennill clod ac enwogrwydd. Only Men Aloud oedd buddugwyr adran y corau meibion ym mlwyddyn gyntaf y gystadleuaeth honno – paratoad da iawn ar gyfer mynd ymlaen i ennill cystadleuaeth deledu arall, *Last Choir Standing*, yn 2008!

In 2003, the Welsh-language broadcaster S4C set up a brand new competition for amateur choirs, called *Côr Cymru* (the Choir of Wales). This was a chance for the best choirs from the Land of Song to compete against one another every other year, to gain praise and recognition. Only Men Aloud won the inaugural male choir category that year – an excellent preparation for another televised choir competition, *Last Choir Standing*, in 2008!

Tim set about founding a choir of young, enthusiastic singers who would present a new repertoire alongside the old favourites of the traditional programme.

It has been quite a journey from that humble beginning to becoming the world's favourite choir, and yet Tim Rhys-Evans hasn't forgotten his roots.

'When we started to arrange a celebration of OMA's first ten years, I knew exactly what I wanted to do, and where,' said Tim. 'We could have hired the Millenium Centre or St David's Hall in Cardiff to celebrate our ten year anniversary,' he added, ' but we wanted to go back to our roots, to the chapel that was so central to my upbringing, and the place where OMA performed for the very first time.'

The concert, held to celebrate St David's Day on 28 February 2010, was a tremendous success, with every pew in Carmel, New Tredegar full to bursting.

LAST CHOIR STANDING

Awr fawr Only Men Aloud oedd ennill
ystadleuaeth y BBC ar gyfer corau,
Last Choir Standing, yn 2008.
Er bod y côr wedi bod wrthi am
wyth mlynedd erbyn hynny, dyma'r
cyfle i gyrraedd cynulleidfa fwy o lawer.

Only Men Aloud's golden hour came when they won the BBC's choral competition, **Last Choir Standing**, in 2008. Although the choir had been together for eight years by then, this was the chance to reach a much wider audience.

Ar ôl didoli miloedd o geisiadau, gwahoddwyd 60 o gorau i'r rhagbrofion yn Llundain. Aeth 15 drwodd i'r rowndiau terfynol – ond roedd y ddau orau o Gymru.

LAST CHOIR STANDING

Roedd pump o'r 15 olaf yn gorau meibion, gan gynnwys Côr Meibion Heddlu Henffordd a Chorws Dynion Hoyw Brighton.

> After trawling through thousands of applications, 60 choirs were invited to London to the auditions. 15 were put through to the heats – but the two finalists were from Wales.

> Five of the final 15 were male voice choirs, including the Hereford Police Male Choir and the Brighton Gay Men's Chorus.

ONLY MEN ALOUD

MAE'N RHAID I BOB TÎM DA GAEL
EI ARWEINYDD CARISMATAIDD
A HEB TIM RHYS-EVANS,
FYDDAI YNA DDIM OMA.

Tim Rhys-Evans | **Ganwyd:** Tredegar, Mehefin 1972 | **Hoff le:** Lerryn, Cernyw | **Hoff bethau:** esgidiau

Tim

EVERY GREAT TEAM HAS TO
HAVE A CHARISMATIC LEADER
AND WITHOUT TIM RHYS-EVANS
THERE WOULD BE NO OMA.

Beth sy'n gwneud arweinydd ysbrydoledig?
Angerdd, ffydd, cariad tuag at yr hyn y maen
nhw'n ei wneud, a thuag at y rhai y maent yn
eu harwain. Mae gan Tim Rhys-Evans y rhain i
gyd yn lleng: mae'n angerddol, yn credu'n gryf
mewn canu corawl, yn enwedig y traddodiad
corau meibion Cymreig, ac mae'n dwlu ar
gerddoriaeth. Roedd ei blentyndod yn Nhredegar
Newydd yn llawn cerddoriaeth. Roedd troi'r hyn
a'i hysbrydolai yn yrfa, yn freuddwyd yr oedd yn
rhaid iddo'i gwireddu.

**Pwy neu beth fu'n ddylanwad arnat ti yn
gerddorol?**
Gallaf enwi dau beth – fy mam a fy magwraeth.
Heb Mam, fyddwn i ddim yn gwneud yr hyn
rydw i'n ei wneud heddiw. Bob bore Sadwrn yn
ystod fy mhlentyndod, byddai hi'n chwarae ei
hoff recordiau – y Beatles, y Beach Boys, Burt
Bacharach, Barry Manilow, Barbra Streisand ac,
wrth gwrs, Tom Jones a Shirley Bassey –
yn uchel iawn!

What makes an inspirational leader?
Passion, belief, love for what they do and
for those they lead. Tim Rhys-Evans has all
of these in spades: he's passionate, full of
belief in choral singing, especially the male
tradition of Wales, and he adores music.
Growing up in New Tredegar, his childhood
was full of music. Making his passion a career
was a dream he had to fulfil.

**Tell us who or what has influenced you
musically?**
Well, I can pin it down to two things – my
mum and my upbringing. My mum's been an
enormous influence, and without her I would
not be doing what I do today. Every Saturday
morning throughout my childhood, she would
play her favourite records – The Beatles,
The Beach Boys, Burt Bacharach, Barry
Manilow, Barbra Streisand and, of course,
Tom Jones and Shirley Bassey – very loudly!

Tim Rhys-Evans | Born: Tredegar, June 1972 | Favourite place: Lerryn, Cornwall | Favourite things: shoes

15

' RYDYN NI WRTH EIN BODD YN CANU CERDDORIAETH GLASUROL, OND DOD I AMLYGRWYDD TRWY GANU POP AR Y TELEDU AR NOS SADWRN WNAETHON NI! '

TIM ♥ SNOOPY, *THE WIND IN THE WILLOWS*, BARBRA STREISAND, *MADMEN*, LIBERTY.

Mae ôl bysedd Mam dros *repertoire* OMA ymhobman. Roedd hi'n allweddol i'r fagwraeth draddodiadol gefais i hefyd – rwy wedi canu'r piano ers pan oeddwn yn bum mlwydd oed ac wedi canu yn y capel erioed. Hefyd bydden ni wastad yn canu yn y car ac mewn partïon.

Ond mae gen ti ddwy radd mewn cerddoriaeth ac roeddet ti'n gweithio i gwmni Opera Cenedlaethol Cymru pan enillodd OMA *Last Choir Standing*. Mae hwnna'n perthyn i fyd gwahanol i'r capel a recordiau pop, yntydi? Ac i fyd corau meibion traddodiadol hefyd.

Rwy'n meddwl bod OMA yn adlewyrchu fy chwaeth eang mewn cerddoriaeth, o salmau cynnar i ganu pop, o sioeau cerdd i opera, cerddoriaeth grefyddol, canu gwerin a'r repertoire corau meibion o'r ugeinfed ganrif – un arall o synau fy mhlentyndod. Fyddai OMA ddim yn gwneud yr hyn y maen nhw'n ei wneud heddiw oni bai am y canrifoedd yna o draddodiad.

'WE LOVE
SINGING
CLASSICAL
MUSIC, BUT
WE BECAME
FAMOUS BY
SINGING POP
MUSIC ON
TELEVISION
ON A SATURDAY
EVENING!'

Mam's fingerprints are all over the OMA repertoire. She was key to the traditional upbringing I had – I've played the piano since I was five and I've always sung in chapel. Plus there was singing on every car journey and in every party.

But you've also got two degrees in music and you were working for the Welsh National Opera company when OMA won *Last Choir Standing*. That's another world from chapel and pop records, isn't it? And from traditional male choirs too.

I think OMA reflects my own eclectic musical tastes from early chant through to pop songs and musical theatre via opera, sacred music, folk songs and the twentieth century male voice choir repertoire, because another of the soundtracks of my childhood was the music of the local male choirs. OMA would not be doing what we are doing today if it were not for those centuries of tradition.

Popeth yn ei le
Mae rhoi trefn ar
y rhaglen yn rhan
hanfodol o berfformio
cyngerdd neu baratoi
rhaglen deledu.
Yma, daw technoleg
benben â dull mwy
cyntefig y pensil wrth
i'r dyn sain drefnu
meicroffonau pawb
ar y ddesg gymysgu
sain gymhleth

Putting It together!
A good running
order is a vital part
of performing a
concert or preparing
a television show.
Here, technology
collides with the more
traditional pencil
as microphones
are allocated by the
sound man at his
complex mixing desk.

BOIS Y BAND

Mae gwisgo dillad y cyfnod a mynd o dan groen y gerddoriaeth yn brofiad cyffredin i'r bechgyn. Dyma nhw, 'yn y mŵd' i ganu cerddoriaeth Glenn Miller ar gyfer cyfres deledu Avanti / S4C.

BUGLE BOYS

Dressing-up and getting into the part is all in a day's work for the boys. Here they are 'in the mood' to sing a Glenn Miller classic for the Avanti / S4C series

Dave

Sut fyddi di'n ymlacio?

Er bod canu'n llenwi fy mywyd, rwy'n dal i fwynhau canu'r gitâr yn fawr. Mae'n ffordd braf o ymlacio. Rwy'n gefnogwr selog o dîm rygbi Caerloyw, ac mae yna gysylltiad teuluol cryf yno hefyd, gan fod fy nau gefnder wedi chwarae'n broffesiynol i'r clwb. Mi fydda i'n mynd i Kingsholm yn gyson yn y gobaith o weld buddugoliaeth. Diolch byth, mae hi'n gyfnod da iddyn nhw ar hyn o bryd!

Pwy oedd y dylanwad cerddorol arnat ti?

Pan oeddwn i'n tyfu, byddai fy nhad yn chwarae recordiau'r sêr roc a rôl mawr fel Jerry Lee Lewis, Chuck Berry, y Rolling Stones a'r Beatles. Dyna'r caneuon cyntaf i fi ddysgu eu canu, ac am wn i mai dyna pam y dysgais ganu'r gitâr. Mi fydda i'n dal i wrando ar y gerddoriaeth yna heddiw ac mae'n debyg mai'r dylanwad mwyaf yw Lennon a McCartney, cerddorion a pherfformwyr ffantastig y byddai'n amhosibl peidio â chael eich ysbrydoli ganddyn nhw. Bu Freddie Mercury'n ysbrydoliaeth hefyd, nid dim ond fel seren roc a rôl, ond gan iddo gychwyn ei yrfa fel cerddor clasurol.

How do you relax?

Even though singing has taken ove still really enjoy playing the guitar way to unwind. I'm an avid suppo 'Cherry and Whites', the Glouces team, which has a real family conr as both my cousins have played pr for the club. I often visit Kingshol see them win. Thankfully we're o streak at the moment!

Who was your musical influen

Whilst I was growing up my dad playing records by the great rock stars – Jerry Lee Lewis, Chuck Be Rolling Stones and The Beatles. T the first songs I sang and I suppos I learned to play the guitar. I still this music now and I think that m influence would have to be the lik Lennon or Paul McCartney, fanta and performers. Who wouldn't be by them? Freddie Mercury has also inspiration, not only as rock star b started life as a classical musician.

David Fortey | **Born: Gloucester, March 1981** | **Favourite food: New York baked vanilla cheesecake** | **Favourite drink: cider**

23

TOM JONES
+ OMA
= SPEXY!

Wyt ti wedi mwynhau dawnsio a chanu ers pan oeddet ti'n fach?
Dechreuodd fy ngyrfa ar lwyfan pan berfformiais ran Dopey yn *Eira Wen a'r Saith Corrach*. Diolch byth, llwyddais i osgoi cael fy nheip-gastio, gan fynd yn fy mlaen i chwarae Joseff yn y Ddrama Nadolig.

Sut fyddi di'n hoffi ymlacio?
Gan fy mod i wastad wedi mwynhau chwaraeon, bydda i'n treulio pob munud o'm hamser hamdden naill ai'n gwylio neu'n cymryd rhan mewn chwaraeon. Rwy'n chwarae criced bron bob dydd Sul yn yr haf ac mi chwaraea i rownd neu ddau o golff bob wythnos. Bu'n rhaid i mi roi'r gorau i'r gyrfaoedd rygbi a phêl-droed am y tro ar ôl i mi ddysgu trwy brofiad nad yw torri trwyn a choes yn dda iawn ar gyfer bywyd ar lwyfan! Pan na fydda i'n chwarae, fe gewch chi hyd i mi'n gwylio Gleision Caerdydd neu Crystal Palace.

Beth yw dy hoff fwyd? Wyt ti'n hoffi coginio?
Mae'r bechgyn yn honni mod i'n bwyta mas lawer gormod, ac os ydw i'n onest, rhaid i mi gytuno – ond does dim byd gwell na chyrri go iawn neu fwyd Thai hyfryd. Fe fydda i hefyd yn hoffi'r her o greu rhywbeth yn y gegin, yn enwedig y bastai bugail (anarferol) y dysgodd Mam-gu i mi sut i'w pharatoi.

Did you enjoy singing and performing from an early age?
My career on the stage began by playing Dopey in *Snow White and the Seven Dwarves*. My initial fears of being typecast from a young age were thankfully unfounded, and I went on to play Joseph in the Nativity.

How do you like to relax?
Having been a keen sportsman all my life, my spare time is usually spent either playing or watching various sports. I play cricket most Sundays during the summer and get out for a few rounds of golf every week. My football and rugby careers are on hold after a broken nose and leg taught me they weren't good for a life on the stage! When I'm not playing sport I can usually be found supporting the Cardiff Blues or Crystal Palace.

What is your favourite food? Do you enjoy cooking?
Most of the boys tell me I eat out far too much, and if I'm honest I'd have to agree – but you can't beat a nice authentic curry or some proper Thai food. I also enjoy the challenge of rustling something up in the kitchen, particularly the shepherd's pie (with a twist) that my Gran taught me how to make.

Niall

Niall Allen | Born: Cardiff, December 1987 | Favourite author: Stieg Larsson | Favourite TV programme: *24*

ROEDD HI'N YSBRYDOLIAETH ENFAWR I FEDDWL BOD EIN CANU WEDI MYND Â NI I'R FATH LEOLIAD EITHRIADOL. CAFODD Y FFYN GYFLE I ARDDANGOS EU CAMPAU YN TIMES SQUARE, HYD YN OED!

Daeth cyfle i goncro'r byd gyda gwahoddiad i OMA ganu yn yr Unol Daleithiau. Ar ôl iddo dderbyn copi o'u halbwm yn anrheg Nadolig, roedd Llysgennad Prydain yn Washington ymhlith eu cefnogwyr, a chafodd y côr eu gwadd i ganu mewn cyfres o gyngherddau yn y brifddinas ac yn Efrog Newydd.

A chance to conquer the world came when OMA were invited to sing in the USA. The British Ambassador in Washington became one of their fans after he received a copy of their album for Christmas, and the choir was asked to sing in a series of concerts in the American capital and in New York.

VIVA USA!

Ar ben Adeilad Rockerfeller.

On top of 'The Rock'.

‘ Fe gawson ni ddeng niwrnod gwefreiddiol ym mhrifddinas yr UDA. Cymerodd y côr ran yng Ngŵyl Bywyd Gwerin y Smithsonian, sy'n cael ei chynnal ar y Washington Mall, rhwng Adeilad y Capitol a Chofeb Washington. Dwi ddim yn meddwl y gallai neb ofyn am leoliad mwy cyffrous. Buon ni'n canu yno ar Orffennaf y Pedwerydd, Diwrnod Annibyniaeth – calon America! Roedd ymateb y gynulleidfa yn ardderchog… bu'n brofiad bythgofiadwy. ’

WASHINGTON D.C.

" We had the most amazing ten days in the US capital. The choir took part in the Smithsonian Folk Life Festival, which takes place on the Washington Mall, between the Capitol Building and the Washington Memorial. I don't think anyone could ask for a more exciting setting. We sang there on the Fourth of July, Independence Day – the very heart of America! Audience responses were fantastic... it was an unforgettable experience. "

Oes gen ti hoff lyfr?

Ysgrifennwyd fy hoff lyfrau gan yr awduron Deepak Chopra, Louise Hay, Don Miguel Ruiz a Rhonda Byrne. Bydd unrhyw feddylwyr cadarnhaol sy'n darllen hwn yn gwybod bod yr awduron hyn yn arwain gyda'r cysyniad bod 'Syniadau'n Troi'n Bethau'.

Sut fyddi di'n ymlacio yn dy amser hamdden?

Os bydd gen i ddiwrnod i ffwrdd o'r gwaith fe gewch hyd i mi mewn un o ddau le – y cwrs golff neu gwrt tenis.

Wyt ti wedi profi unrhyw dro trwstan ar lwyfan?

O, bob hyn a hyn bydd rhywbeth yn digwydd, fel pan rwygodd trowsus Wyn… a phan rwygodd trowsus Big Ted… a phan rwygodd trowsus yr Admiral… Ha ha ha – gormod o fechgyn â throwsus rhy dynn!

Cian

Do you have a favorite book?
My favorite books are written by the authors Deepak Chopra, Louise Hay, Don Miguel Ruiz and Rhonda Byrne. Any positive thinkers out there will know that these authors are currently spearheading the idea that 'Thoughts Become Things'.

How do you like to relax in your free time?
If I have a day off, you can find me at one of two places – the golf course or on a tennis court.

Have you experienced any on-stage mishaps?
Oh every once in a while something happens, like when Wyn's trousers burst open… and when Big Ted's trousers burst open… and when the Admiral's trousers burst open… Ha ha ha – too many boys with too tight trousers!

BARITONE

Pa fath o beth wyt ti'n hoffi'i ganu?

Mae'n well gen i'r caneuon mwy clasurol na'r caneuon pop – Bach a chyfansoddwyr Baróc eraill yn bennaf. Rwy'n hoffi canu mewn ieithoedd eraill, oherwydd yr her o geisio ffurfio'r geiriau mor gywir â phosib, yn enwedig Eidaleg, Ffrangeg a Chymraeg.

Mae'r rhan fwyaf o'r caneuon yn cynnwys dawnsio. Wyt ti'n mwynhau hynny ynteu ydy'r dawnsiau'n anodd i'w dysgu?

Ro'n i'n arfer cael y dawnsio'n faich, ac mae'n dal i ymestyn fy ngallu – buaswn i'n hapusach yn y cefn yn gadael i'r llafnau ifanc ddwyn y sylw. Ond, diolch i anogaeth ein coreograffydd, Debbie, rwy'n fy nghael fy hun yn mwynhau'r rhan 'sioe' o'r perfformiad dipyn yn fwy bellach. Roedd y ddawns ar gyfer 'Rule the World' yn anodd iawn i'w dysgu, ond mae'n rhoi boddhad mawr pan fydd popeth yn mynd **yn iawn.**

Sut fyddi di'n ymlacio?

Rwy'n dwlu nofio, yn enwedig nofio gwyllt, mewn afonydd, llynnoedd a'r môr. Pryd **bynnag y caf i gyfle, fel y tro y buon ni'n ffilmio ger Llyn Efyrnwy, fe af i i mewn i'r dŵr!**

What do you like to sing?

I enjoy singing the more classical numbers rather than the pop covers – mostly Bach or other Baroque composers. I do enjoy singing in other languages, for the challenge of forming the words as correctly as possible, especially Italian, French and Welsh.

Many of your routines contain choreography. Do you enjoy these or are they difficult to learn?

I used to find the choreography daunting, and it still taxes me – I'd more naturally shrink to the back of the stage and let the young blades take the limelight. However, thanks to the encouragement of Debbie, our choreographer, I find I enjoy the 'show' part of the performance much more now. The routine for 'Rule the World' was very difficult to learn, but satisfying when it goes well.

How do you relax?

I love to swim, especially wild swimming, in rivers, lakes and the sea. Whenever I get a chance, like when we filmed near Lake Vyrnwy, I'll go and take a dip!

Steve

HWIANGERDD EFYRNWY

VYRNWY LULLABY

Efyrnwy
yw'r argae garreg hynaf yng Nghymru, ac mae'r llyn yn darparu dŵr ar gyfer Lerpwl. Dyma hefyd darddiad y dŵr a ddefnyddir i wneud jin Bombay Sapphire. Pan fydd y gronfa'n llawn gall ddal cymaint â 60,000 megalitr, ac mae'n gorchuddio'r un faint o dir â rhyw 600 cae pêl-droed. Mae hynny'n gryn dipyn o jin... Does ryfedd i Steve fynd i nofio!

Daeth OMA i Lyn Efyrnwy
i ffilmio golygfeydd awyr-agored
godidog ar gyfer y gyfres deledu
ddiweddaraf, yn enwedig ar gyfer
yr hwiangerdd hyfryd 'Mynydd
Si-lwli', a ganwyd yn wreiddiol
gan Dick Van Dyke yn y ffilm
Chitty Chitty Bang Bang.

OMA came to Lake Vyrnwy
to film some striking outdoor
shots for the latest television
series, especially for the
beautiful lullaby 'Hushabye
Mountain', originally sung
by Dick Van Dyke in the film
Chitty Chitty Bang Bang.

Vyrnwy
is the oldest stone
dam in Wales, and the lake
supplies water to Liverpool. It is
also the water used to make Bombay
Sapphire gin. When full, the lake
can hold about 60,000 megalitres,
and it covers an area of land the
equivalent of around 600 football
pitches. That's quite a lot
of gin... No wonder Steve
wanted to take a dip!

Daw awel fwyn o Fynydd Si-lwli,
Chwytha'n bêr dros Fae Lwli-gân,
Fe leinw hwyliau'r llongau sy'n disgwyl,
Disgwyl i hwylio'th ofid yn lân.

Nid pell yw'r ffordd i Fynydd Si-lwli,
Aros mae dy long wrth y dŵr,
Awelon nos sy'n tyner ochneidio
Hwylio i'r môr wna'th ofid yn siŵr.

O, cwsg yn bêr ar Fynydd Si-lwli,
Dwed hwyl fawr wrth flinderau mân
A gwylia'th long o Fynydd Si-lwli,
Hwylia i ffwrdd o Fae Lwli-gân.

40

Addasiad Cymraeg gan Rhian Williams

HUSHABYE
MOUNTAIN

A gentle breeze from Hushabye Mountain
Softly blows o'er Lullaby Bay,
It fills the sails of boats that are waiting,
Waiting to sail your worries away.

It isn't far to Hushabye Mountain
And your boat waits down by the quay,
The winds of night so softly are sighing,
Soon they will sail your worries to sea.

So close your eyes on Hushabye Mountain,
Wave good-bye to cares of the day,
And watch your boat from Hushabye Mountain
Sail far away from Lullaby Bay.

Words by Robert B. Sherman

Andy

Sut fyddi di'n ymlacio?

Rwy'n dwlu coginio. Mi fydda i'n cadw ieir er mwyn cael wyau ac rwy'n arddwr brwd, pethau y galla i eu bwyta yn bennaf. Dwi newydd ddarganfod sut mae gwneud pwdin swydd Efrog perffaith, felly mae hwnnw a *toad-in-the-hole* yn ffefrynnau yn ein tŷ ni ar hyn o bryd. Rwy'n eithaf hoff o wneud prydau sy'n defnyddio un sosban yn unig, er mwyn lleihau'r gwaith golchi llestri, pethau fel pastai pysgod neu gawl. Fe wna i fwyta unrhyw beth, a dweud y gwir, ond fy mhryd delfrydol fyddai arennau mewn pupur neu silod mân i ddechrau, Eidion Wellington gyda thatws *dauphinoise*, ac Alasga Pob neu gacen gaws yn bwdin. Gwledd o gaws wedyn, efallai!

Pa fath o gerddoriaeth fu'n ddylanwad arnat ti pan oeddet ti'n tyfu?

Byddai fy mrawd yn chwarae'r drymiau mewn band metel trwm, ces i fy hudo gan hynny – am rai misoedd o leiaf! Y gerddoriaeth gyntaf y galla i gofio mynd yn *obsessed* â hi oedd albwm o ganeuon gorau Jimi Hendrix. Roedd recordiad o John Williams yn perfformio gwaith Bach ar y stereo rownd y rîl pan oeddwn i'n 16 hefyd.

Wyt ti wedi cael tro trwstan ar lwyfan?

Wrth newid gwisg yn gyflym ar y daith ddiweddaraf, llwyddais i gam-fotymu fy ngwasgod yn llwyr. Fy esgus i yw ei bod hi'n dywyll iawn gefn llwyfan yn Birmingham! Gobeithio na sylwodd neb.

How do you relax?

I love cooking! I keep chickens for eggs and I'm also quite a keen gardener, mainly stuff I can eat. I've just discovered how to make the perfect Yorkshire pudding, so that and toad-in-the-hole are current favourites in our house. I also quite like making meals that require just one pot, to cut down on washing up, things like fish pie and stews. I will eat absolutely anything to be perfectly honest, but my fantasy meal would probably be devilled kidneys or whitebait to start, Beef Wellington with *dauphinoise* potatoes, and Baked Alaska or cheesecake for dessert. Then a good cheese board perhaps!

What kind of music influenced you when you were growing up?

My older brother played drums in a thrash metal band, and I think I was awestruck by this – at least for a couple of months! The first music I remember getting a bit obsessed with was an album of Jimi Hendrix's greatest hits. John Williams playing Bach was also permanently on the stereo when I was 16.

Have you experienced any on-stage mishaps?

In a quick costume change on the last tour I managed to button my waistcoat up all wrong. My excuse is that it was very dark backstage in Birmingham! Hopefully no one noticed.

'Espresso in the morning,
cider in the afternoon,
red wine in the evening!'

BASS

Andy Mulligan | **Born: Warrington, July 1973** | **Job: OMA administrator; guitar teacher** | **Favourite film:** *Spinal Tap*

GENE KELLY...

Canu yn y glaw...
Ymarfer 'Singin' in the Rain' ar gyfer cyfres deledu OMA fu ar S4C yn ystod hydref 2011. Mae'r symud a'r perfformio, ochr yn ochr â'r canu ardderchog, wedi bod yn rhan ganolog o arddull y côr ers y dechrau, a gyda phrofiad a hyder, mae'r symudiadau wedi datblygu'n fwy cymhleth a chyffrous fyth.

x 17!

What a glorious feeling...
The choir practises the
'Singin' in the Rain' routine
in preparation for the
television series which was
broadcast on S4C during
autumn 2011. Movement
and dance have gone hand
in hand with excellent
singing by the choir
from the start, and with
experience and growing
confidence, the routines
have become even more
complex and exciting

Cip slei y tu ôl i'r camerâu sy'n dangos mor gymhleth yw ffilmio cyfres deledu. Ac nid y camerâu yn unig sy'n gorfod bod yn berffaith: y goleuo, y sain, y colur – i'r bechgyn yn ogystal â'r merched – a'r *autocue* hefyd (defnyddiol iawn os nad oes sglein ar eich Eidaleg!).

Guys and Dolls

perché muta dal
salice pendi?
'Le memorie nel pet
raccendi,
ci favella del tempo
che fu!

A sneaky peek behind
the cameras reveals just
how complex making a
television series is.
And it's not just the
cameras that need to be
perfect: the lighting, the
sound, the make-up – fo
the boys as well as the
girls – and the autocue
too (especially useful if
your Italian's a bit rusty!)

Paul

Wyt ti wastad wedi canu?

Mae fy rhieni wrth eu bodd yn adrodd stori'r tro cyntaf iddyn nhw fy nghlywed i'n canu: ro'n 'n chwech oed ac wedi fy ngwisgo fel Seren Bethlehem! Efallai mai dyna pryd y cefais fy nrathu gan y clefyd canu. Yna ymunais â chôr eglwys a daeth canu'n rhan enfawr o fy mywyd.

Sut a phryd y dechreuodd dy gyswllt ag OMA?

Cwrddais â Tim pan oeddwn yn dilyn cwrs opera i ieuenctid gydag Opera Cenedlaethol Cymru. Rwy'n cofio cael galwad ganddo pan oeddwn yn fy mlwyddyn gyntaf ym Mhrifysgol Caerdydd, tua 9 y bore ar ôl noson go fawr! Fe soniodd am ryw gôr meibion roedd e'n ei arwain, a rhywbeth am gystadleuaeth gyda'r BBC, a gofynnodd a hoffwn i fod yn rhan o hynny. Dywedais, yr hoffwn, wrth gwrs ac fe gymerais ran yn fy mherfformiad cyntaf gydag OMA wythnos yn ddiweddarach – ar deledu nos Sadwrn ledled Prydain !

Oes gen ti unrhyw ddiddordebau?

Pan na fydda i'n canu neu'n dysgu, rwy'n hoffi ffotograffiaeth, coginio, neu ofalu am fy nghwningen anwes, Moomin!

Did you always sing?

My parents always delight in **telling the** story of the first time they **heard me singing:** I was six years old and dressed up as the star of Bethlehem! Maybe I caught the bug then. From there I went on to join a church choir and singing became a **massive part** of my life.

How and when did your involvement with **OMA** come about?

I met Tim while I was doing a youth opera course with the Welsh Nati**onal Opera.** I remember receiving a phone call from him in my first year at Cardiff University at around nine in the morning after a rather 'heavy' night out! He told me about a male choir that he ran and some competition that the BBC was holding and asked me if I would like to be a part of it all. I said yes, of course, and my first performance with OMA was a week later – on national prime time television!

Do you have any hobbies?

When I'm not singing or teaching, I like to spend my time taking photos, cooking or looking after my pet rabbit, Moomin!

#1 TENOR

HARLECH!

Wele goelcerth wen yn fflamio
A thafodau tân yn bloeddio
Ar i'r dewrion ddod i daro
    Unwaith eto'n un.
Gan fanllefau tywysogion,
Llais gelynion, trwst arfogion
A charlamiad y marchogion
    Craig ar graig a grŷn.
Arfon byth ni orfydd
Cenir yn dragywydd
Cymru fydd fel Cymru fu
Yn glodfawr ymysg gwledydd.
Yng ngwyn oleuni'r goelcerth acw
Tros wefusau Cymro'n marw
Annibyniaeth sydd yn galw
    Am ei dewraf ddyn.

Ni chaiff gelyn ladd ac ymlid,
Harlech! Harlech! cwyd i'w herlid
Y mae Rhoddwr mawr ein Rhyddid
    Yn rhoi nerth i ni.
Wele Gymru a'i byddinoedd
Yn ymdywallt o'r mynyddoedd!
Rhuthrant fel rhaeadrau dyfroedd,
    Llamant fel y lli!
Llwyddiant i'n marchogion
Rwystro gledd yr estron!
Gwybod yn ei galon gaiff
Fel bratha cleddyf Brython.
Y cledd yn erbyn cledd a chwery,
Dur yn erbyn dur a dery,
Wele faner Gwalia i fyny,
    Rhyddid aiff â hi!

Geiriau Cymraeg gan John Ceiriog Hughes 1832–1887

Men of Harlech, march to glory,
Victory is hov'ring o'er ye,
Bright-eyed freedom stands before ye,
     Hear ye not her call?
At your sloth she seems to wonder;
Rend the sluggish bonds asunder,
Let the war-cry's deaf'ning thunder
     Every foe appall.
Echoes loudly waking,
Hill and valley shaking;
'Till the sound spreads wide around,
The Saxon's courage breaking;
Your foes on every side assailing,
Forward press with heart unfailing,
'Till invaders learn with quailing,
     Cambria ne'er can yield!

Thou, who noble Cambria wrongest,
Know that freedom's cause is strongest,
Freedom's courage lasts the longest,
     Ending but with death!
Freedom countless hosts can scatter,
Freedom stoutest mail can shatter,
Freedom thickest walls can batter,
     Fate is in her breath.
See, they now are flying!
Dead are heap'd with dying!
Over might hath triumph'd right,
Our land to foes denying;
Upon their soil we never sought them,
Love of conquest hither brought them,
But this lesson we have taught them,
     "Cambria ne'er can yield!"

English words by John Oxenford, 1812–1877

Tim

Pa fath o ganu fyddi di'n mwynhau ei wneud?

Rydw i wrth fy modd gyda'r holl arddulliau gwahanol y byddwn ni'n eu canu yn OMA ond clasurol ac opera yw'r rhan fwyaf o ganu rwy'n ei wneud ar hyn o bryd. Rwy'n hoff iawn o ganu yn Ffrangeg ac Almaeneg, ac rwy'n dechrau gwneud ychydig mewn Rwsieg hefyd – sydd dipyn yn fwy heriol!

Pa mor aml fyddi di'n canu?

Pan oeddwn i yn yr ysgol feithrin ro'n i'n dwlu canu… a dwi heb dyfu allan o'r arfer eto! Es i i Ysgol Gorawl Abaty Westminster pan oeddwn i'n fachgen hyd yn oed. Nawr rwy'n ganwr ac arweinydd gweithdai ar fy liwt fy hun, sy'n golygu mod i'n gallu arwain sesiynau gydag Only Boys Aloud neu ganu ar gyfer cymdeithasau corawl ledled y wlad – ond rwy'n cael digon o amser i eistedd ar y soffa a gwylio'r teledu yn ystod y dydd!

Pa fath o gerddoriaeth fyddi di'n gwrando arni?

Byddai gan fy rhieni dâp o Placido Domingo yn y car ac arferwn wrando ar hwnnw o oedran ifanc. Nawr, y dylanwadau arna i yw Simon Keenlyside, Gerald Finley, a Bryn Terfel wrth gwrs. Ond wedi dweud hynny, dwi'n tueddu gwrando ar Radio 1 yn y car.

What type of singing do you enjoy doing?

I love the variety of genres that we get to sing in OMA, but most of the singing I do at the moment is classical and opera. I really enjoy singing in French and German and I'm starting to do some Russian too – which I'm finding a bit more challenging!

How often do you sing?

When I was at nursery school I loved singing… and I've not quite grown out of it yet! I even went to Westminster Abbey Choir School as a child. Now I'm a freelance singer and workshop leader, so that can range from taking sessions with Only Boys Aloud to singing solos for choral societies across the country – with plenty of time to sit on the sofa watching daytime TV in beetween!

What music do you listen to?

My parents used to have a tape of Placido Domingo in the car and I listened to that from a young age. Now my influences are Simon Keenlyside, Gerald Finley and, of course, Bryn Terfel. Having said that, I tend to listen to Radio 1 when I'm in the car.

GROUP HILARITY IS A COMMON THEME IN OMA REHEARSALS!

BASS

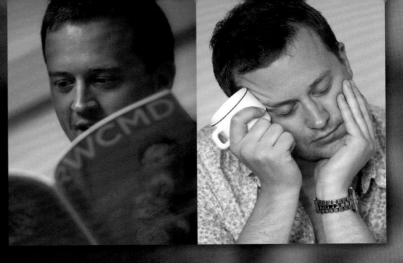

Craig

Pwy oedd y dylanwad cerddorol mwyaf arnat ti?

Fe fu fy nhad-cu yn ddylanwad cerddorol enfawr ar fy mywyd. Roedd e'n arfer arwain côr ac mae e'n ddyn cerddorol dros ben. Mae'n dal i gyfansoddi ac yn canu'r organ yn yr eglwys. Mae gen i chwaeth eang iawn mewn cerddoriaeth. Weithiau fe wrandawa i ar Radio 1 yn y car, dro arall cerddoriaeth glasurol a dim byd arall. Rwy'n dwlu gwylio unrhyw fath o gerddoriaeth fyw ac rwy'n arbennig o hoff o ganu sioeau cerdd, er mod i hefyd yn hoffi canu opera.

Beth yw dy hoff ddiod gadarn?

Fodca a Diet Coke. Mae'n fy atgoffa o'r cyfnod a dreuliais yn Rwsia. Dwi hefyd yn hoffi sieri a phort. Maen nhw'n llesol i'r llais!

Sut fyddi di'n ymlacio?

Rwy'n hoffi gwylio chwaraeon, yn enwedig pêl-droed – rwy'n cefnogi West Brom. [Rhaid i rywun wneud… Gol.] Mi fydda i'n mynd i gigs byw ac i'r theatr, mi fydda i'n garddio, ac yn mynd allan am bryd o fwyd – bwyd Thai yw fy ffefryn. Y sinema hefyd: *Willy Wonka and the Chocolate Factory* yw fy hoff ffilm erioed. Ond dyna ni, mae gen i ddant melys iawn ac rwy'n dipyn o chocoholic! Bydd bechgyn OMA yn chwarae pêl-droed 5-bob-ochr gyda'i gilydd. Fel arfer, mae'r Baritôns yn erbyn pawb arall yn gêm dda. Ni sydd fel arfer yn ennill…

Who has been your musical influence?

My grandad has been a massive musical influence on my life. He used to conduct a choir and is extremely musical. He still composes and arranges music and plays the organ in church. I have a very eclectic taste in music. Sometimes I'll put Radio 1 on in the car, and other times it's full on classical music. I love watching live music of any sort and I especially love singing musical theatre, although I also enjoy singing opera.

What's your favourite tipple?

Vodka and Diet Coke. Reminds me of my time in Russia. I also love a sherry and a port. Good for the voice!

How do you like to relax?

I like to watch sport, especially football – I support West Brom. [Somebody has to… Ed.] I go to live gigs and theatre, I do the garden, go out for meals – Thai food is my favourite. Cinema too: *Willy Wonka and the Chocolate Factory* is my all time favourite film. But then I do have a very sweet tooth and I'm a bit of a chocoholic! The OMA boys also play 5-a-side football together. The Baritones versus everyone else is normally a good game. We usually win…

DEL & DAWNUS

Waeth beth fo'r gân, mae rhoi'r perfformiad
gorau yn hanfodol bob amser.

SONG & DANCE

Whatever the song, giving the best performance is always essential.

Dafydd Rhys | **Ganwyd: Caerfyrddin, Ionawr 1989** | **Hoff actor: Tom Hanks** | **Hoff ddiod: fodca**

Dafydd

Ar ba fath o gerddoriaeth fyddi di'n gwrando?
Sigur Rós, Oasis, Stereophonics, Coldplay, Ennio Morricone, Hanz Zimmer, John Murphy, Foo Fighters, Johnny Cash, Neil Young, Ryan Tedder, OneRepublic. Detholiad eitha eang...!

A beth am ganu? Beth yw dy hoff gerddoriaeth i'w chanu?
Rwy'n hoffi canu amrywiaeth o arddulliau, o ganeuon pop i'r clasurol. Gan fy mod wedi astudio yng Ngholeg Brenhinol Cerdd a Drama Cymru cyn ymuno ag OMA, rwy'n gwerthfawrogi opera, ac rwy'n mwynhau canu mewn Eidaleg, Almaeneg a Chymraeg.

Wyt ti wedi cael unrhyw droeon trwstan ar lwyfan?
Aeth cordyn fy meic yn sownd yn ffrog Shân Cothi pan oeddwn i'n dawnsio gyda hi yn 'Hello Dolly'; dwi wedi gollwng sawl ffon, wedi cael wad yn fy wyneb yn ystod 'Gwŷr Harlech', a bron i mi dorri pigwrn Wyn yn 'Don't Rain On My Parade', mae'r rhestr yn faith…

What kind of music do you listen to?
Sigur Rós, Oasis, Stereophonics, Coldplay, Ennio Morricone, Hanz Zimmer, John Murphy, Foo Fighters, Johnny Cash, Neil Young, Ryan Tedder, OneRepublic. Quite a wide range...!

And what about singing? What kind of songs do you prefer to sing?
I enjoy singing a variety of genres from pop to classical. Having studied at RWCMD before joining OMA I have an appreciation of opera and enjoy singing in Italian, German and Welsh.

Have you experienced any on-stage mishaps?
I've tangled my microphone lead in Shân Cothi's dress when dancing with her in 'Hello Dolly', dropped canes, got hit in the face in 'Men of Harlech', nearly broke Wyn's ankle in 'Don't Rain On My Parade': the list goes on…

BARITONE

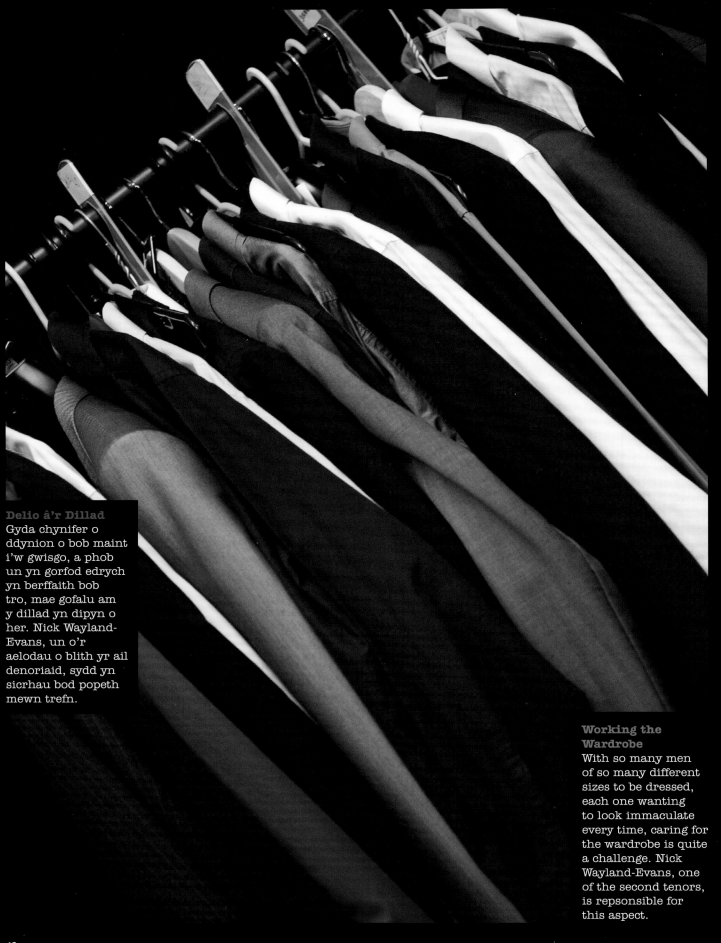

Delio â'r Dillad
Gyda chynifer o ddynion o bob maint i'w gwisgo, a phob un yn gorfod edrych yn berffaith bob tro, mae gofalu am y dillad yn dipyn o her. Nick Wayland-Evans, un o'r aelodau o blith yr ail denoriaid, sydd yn sicrhau bod popeth mewn trefn.

Working the Wardrobe
With so many men of so many different sizes to be dressed, each one wanting to look immaculate every time, caring for the wardrobe is quite a challenge. Nick Wayland-Evans, one of the second tenors, is repsonsible for this aspect.

TOUR DE FORCE!

Mae'r ddelwedd draddodiadol o grŵp gwyllt ar daith mewn bws yn fwy Rolling Stones nag OMA! Yn ôl y bechgyn, mae bywyd ar y bws yn weddol ddiniwed fel arfer — yfed te byth a hefyd, ambell DVD, gêmau Nintendo, a digon o gwsg. Fe all hi fynd ychydig yn swnllyd pan nad oes cyngerdd y diwrnod canlynol — ond stori arall yw honno...

The traditional wild image of the tour bus belongs more to the Rolling Stones than OMA! According to the boys, the bus is normally quite a sedate affair — drinking tea, some DVDs, Nintendo games and iPods, and plenty of sleep. It can get rowdy when there isn't a performance the next day — but that's another story. What goes on tour stays on tour...

ONLY MEN ALOUD

LIVE ON TOUR 2009

Rownd Prydain gydag OMA

Mewn tair blynedd, mae'r côr wedi cyflawni pedair taith lle gwerthwyd pob tocyn. Mae hynny'n llawer iawn o filltiroedd ac yn gannoedd ar filoedd o bobl!

ONLY MEN ALOUD

LIVE ON TOUR WINTER 2009

OMA

TOUR DE FORCE!

Around Britain with OMA
In three years, the choir has completed four sellout tours. That's lots and lots of miles and hundreds of thousands of people!

Oeddet ti'n mwynhau canu o oedran cynnar?

Oeddwn, mae'n debyg mod i'n arfer perfformio yn y gegin ar gyfer fy rhieni, a fy mam-gu a 'nhad-cu! Pan oeddwn i ychydig yn hŷn fe es i'n aelod o gôr Cadeirlan Llandaf, felly ro'n i'n canu bob dydd.

Rwyt ti newydd sefydlu gŵyl gerdd newydd. Dwed amdani.

Mae Gŵyl Gerddoriaeth Caerdydd wedi ymroi i ddod â pherffformiadau o'r ansawdd gorau i brifddinas Cymru. Un o'n prif amcanion yw hybu artistiaid ifanc yng Nghymru a thu hwnt, gan roi llwyfan iddyn nhw berfformio ochr yn ochr â pherfformwyr sydd wedi hen sefydlu. Bu Tim a bechgyn OMA yn eithriadol o gefnogol i'r ŵyl, a dwi'n siŵr na fuasai wedi bod yn gymaint o lwyddiant hebddyn nhw!

David

Did you enjoy singing and performing from an early age?
Yes, apparently I used to put on performances in the kitchen for my parents and grandparents! When I was a little older I became a chorister at Llandaff Cathedral so I was singing every day.

You've recently set up a new music festival. Tell us about it.
The Cardiff Music Festival is dedicated to bringing performances of the highest quality to Wales's capital. One of our main aims is to promote young artists in Wales and elsewhere, giving them a platform to perform alongside established performers. Tim and all the boys in OMA have been incredibly supportive of the festival, and it wouldn't be the success it is without them!

#2 TENOR

David Mahoney | **Born: Karlsruhe, Germany, October 1987** | **Favourite city: New York** | **Favourite food: rare steak**

Un o'r pethau gorau am fod yn aelod o OMA yw'r cyfle y mae'n ei roi i gydweithio gydag artistiaid dawnus eraill. Bu'r côr yn rhannu llwyfan gyda chantorion fel Shirley Bassey, Shân Cothi, Gwawr Edwards, Katherine Jenkins, Bonnie Tyler; sêr y West End fel John Owen Jones, Kerry Ellis, Sophie Evans a Katy Treharne, a cherddorion fel Brian May, y diweddar Stuart Cable, a'r soddgrythor ifanc o Gastell-nedd, Steffan Morris, heb sôn am actorion fel Amy Nuttall a'r seren fydenwog o Abertawe, Catherine Zeta Jones. Mae cyfarfod ag aelodau o'r Teulu Brenhinol, gan gynnwys y Frenhines a'r Tywysog Siarl, hefyd yn brofiad arbennig.

FFRINDIAU TALENTOG

TALENTED FRIENDS

> One of the best things about being a member of OMA is the chance it gives to collaborate with other talented artists. The choir has shared the stage with singers such as Shirley Bassey, Shân Cothi, Gwawr Edwards, Katherine Jenkins, Bonnie Tyler; stars of the West End such as John Owen Jones, Kerry Ellis, Sophie Evans and Katy Treharne, and musicians such as Brian May, the late Stuart Cable, and the young cellist from Neath, Steffan Morris, not to mention actors such as Amy Nuttall and the world famous Swansea star Catherine Zeta Jones. Meeting members of the Royal Family, including the Queen and Prince Charles, is also a special experience.

OMA'n mwynhau'r codi arian, y cyngherddau a'r gwobrau ar achlysuron arbennig iawn.

OMA relishing the fund raising, the concerts and the awards at extra special events.

ONLY BOYS ALOUD!

Am brofiad gwych!

Os tyfodd OMA o draddodiad corau meibion y Cymoedd, mae'r genhedlaeth nesaf eisoes yn cael ei methrin, yn Only Boys Aloud. Sefydlwyd y côr ar gyfer ymweliad yr Eisteddfod Genedlaethol â Glynebwy yn 2010 ac mae'r cantorion ifanc yn mynd o nerth i nerth dan ofal hen lawiau'r côr hŷn.

If OMA grew from the male voice choir tradition of the Valleys, the next generation is already being nurtured in Only Boys Aloud. The choir was formed to perform at the National Eisteddfod held at Ebbw Vale in 2010 and the young singers continue to go from strength to strength under the guidance of their older brothers-in-song.

What a great experience!

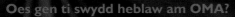

Robert

Oes gen ti swydd heblaw am OMA?

Rwy'n un o gantorion proffesiynol Eglwys Gadeiriol Llandaf, sy'n golygu mod i'n un o'r oedolion sy'n canu ochr yn ochr â'r bechgyn a'r merched yn y côr adeg gwasanaethau. Mi fydda i'n canu gymaint ag y galla i! Fi hefyd ydy Llywydd y Myfyrwyr yng Ngholeg Brenhinol Cerdd a Drama Cymru, Caerdydd.

Sut wnest ti ddechrau gydag OMA?

Fe es i i'r brifysgol yn y Coleg Cerdd a Drama, felly roedd gen i ffrindiau oedd yn ymwneud â'r côr, ac fe benderfynais ei bod hi'n bryd i mi ymuno yn yr hwyl. Fe ges i gyfweliad, a llwyddo, diolch byth!

Pa fath o gerddoriaeth wyt ti'n ei hoffi?

Dwi wastad wedi gwrando ar fandiau fel Muse a Biffy Clyro, ac rwy'n hoff iawn o'r sioe gerdd *Wicked*, ond mae'n debyg taw cerddoriaeth gorawl sydd wedi cael y dylanwad mwyaf arna i – ro'n i'n arfer canu gyda Chantorion Eric Whitacre. Fel arfer, oratorios, caneuon celf ac opera fydd yn chwarae yn y car. Mae unrhyw beth gan Bryn Terfel yn ardderchog!

Do you have a job outside OMA?

I am a Lay Clerk at Llandaff Cathedral, which is the name given to men who sing in the cathedral choir alongside the choirboys and the choral scholars. I do as much singing work as I can! I'm also the Student President at the Royal Welsh College of Music and Drama, Cardiff.

How did your involvement with OMA come about?

I went to university at the RWCMD, so I've always had friends involved with the choir, and I thought it was my time to join the fun. I auditioned and, thankfully, got in!

What kind of music do you like?

I've always listened to bands such as Muse and Biffy Clyro and I love the musical *Wicked*, but I'm probably most influenced by choral music – I used to sing with the Eric Whitacre Singers. It's generally oratorios, art songs and opera on the stereo in the car. Anything Bryn Terfel sings is amazing!

BARITONE

Robert Garland | **Born: Northamptonshire, February 1989** | **Favourite food: anything spicy** | **Favourite drink: Merlot**

73

BRODYR MEWN BRWYDR

BAND OF BROTHERS

Ei aberth nid â heibio – ei wyneb
    Annwyl nid â'n ango
 Er i'r Almaen ystaenio
 Ei dwrn dur yn ei waed o.

Hedd Wyn

From

'REQUIEM FOR A SOLDIER'

In fields of sacrifice,
Heroes paid the price,
Young men who died for old men's wars,
Gone to paradise.

We are all one great band of brothers
And one day you'll see we can live together
When all the world is free.

Frank Musker

74

Nick

Sut y daethost i gysylltiad ag OMA?

Ar ôl graddio o Brifysgol Caerdydd, es i i UWIC i wneud cwrs athro ôl-radd. Gyda mi ar y cwrs roedd dau aelod o gôr meibion newydd – Andy Mulligan oedd un ohonynt. Fe awgrymodd y ddau mod i'n ymuno â'r côr hefyd (roedden nhw'n ymwybodol o'm dawn enfawr, wrth gwrs!) ac un nos Fawrth i ffwrdd â fi i un o'r ymarferion. Cefais fy nghyflwyno i arweinydd y côr, un Mr Tim Rhys-Evans!

Oes gen ti swydd arall ar wahân i OMA?

Rwy'n Gyfarwyddwr Cerdd (ffordd grand o ddweud 'pennaeth adran') Ysgol Uwchradd Gatholig Sant Joseff yng Nghasnewydd. Mi fydda i hefyd yn gwneud trefniannau cerdd ar gyfer Only Men Aloud.

Wyt ti'n gallu coginio?

Rwy'n mwynhau coginio, ond fydda i ddim yn gwneud yn ddigon aml. Yn ogystal, mae fy ngwraig yn gogyddes ardderchog a brwdfrydig, sy'n fy ngwneud i'n ddiog.

How did your involvement with OMA come about?

After graduating from Cardiff University, I went to UWIC to do my PGCE. On that course were two members of a new male choir, one of whom was Andy Mulligan. They suggested I join the choir too (they were aware of my talent, obviously!) and one Tuesday night I went along to rehearsal. I was introduced to the conductor of the choir, a Mr Tim Rhys-Evans.

Do you have another job apart from OMA?

I am Director of Music (a posh way of saying 'head of department') at St Joseph's RC High School in Newport. I also arrange some music for Only Men Aloud.

Are you a good cook?

I enjoy cooking, but don't do it enough. Also my wife happens to be a brilliant and enthusiastic cook, which makes me lazy.

Nick Bristow | Ganwyd: Cheltenham, Awst 1976 | Hoff ddiod: Guinness | Hoff ffilm: *The Shawshank Redemption*

Nick Bristow | Born: Cheltenham, August 1976 | Favourite drink: Guinness | Favourite film: *The Shawshank Redemption*

PA ARDDULL BYNNAG Y MAE'R CÔR YN RHOI CYNNIG ARNI,
MAE CYNHESRWYDD A NERTH EU LLEISIAU SIDANAIDD YN CYFUNO AG EGNI
TRYDANOL Y GALLWCH EI DEIMLO, GAN EI FOD MOR ANGERDDOL

ADOLYGIAD, *BROADWAY WORLD*

WHATEVER THE GENRE THIS CHOIR TACKLES, THE WARMTH
AND POWER OF THEIR SILK-LIKE VOICES COMBINE WITH AN
ELECTRIC ENERGY THAT IS TANGIBLE IN ITS INTENSITY

REVIEW, *BROADWAY WORLD*

Wyn

Dwed rywbeth am dy gefndir, Wyn.
Fe ddechreuais i berfformio pan o'n i'n fach, ond rwy'n credu fod pawb arall yn y tŷ wedi blino ar sŵn y trwmped! Cefais fy magu yn nhraddodiad y capel, felly roedd dydd Sul yn golygu gwrando ar ganu pedwar llais hyfryd, oedd yn ddylanwad mawr. Roedd cerddoriaeth yn bwysig yn fy ysgol uwchradd ddwyieithog, Ysgol Gyfun Ystalyfera, hefyd. Fe es i Brifysgol Caerdydd i wneud gradd, ond er i mi gymhwyso fel fferyllydd, dwi ddim wedi gweithio mewn fferyllfa ers sawl blwyddyn. Canu yw fy ngwaith llawn amser i nawr, ynghyd â gweithio gydag Only Kids Aloud ac Only Boys Aloud.

Wyt ti wedi cael unrhyw drychinebau ar lwyfan?
Rwy'n enwog am rwygo fy nhrowsus, ac mae fy mhants wedi bod yn y golwg ar lwyfan fwy nag unwaith! Falle bod angen trowsus mwy arna i…

Beth yw'r her fwyaf i ti yn OMA?
Mae canu mewn ieithoedd tramor yn gyffrous ond mae'n creu mwy o waith oherwydd er mwyn perfformio'n llwyddiannus rhaid deall pob gair sy'n cael ei ganu. Mae'r geiriaduron yn cael llawer o ddefnydd.

Tell us about your background, Wyn.
I started performing early, but I think the trumpet playing got a bit much for everyone else in the house! I was brought up in the chapel tradition so spent a lot of my Sundays growing up around people singing in harmony, which was a huge influence on me. Music was also pretty important at my Welsh-medium comprehensive school, Ysgol Gyfun Ystalyfera. I studied for my degree at Cardiff University, but although I'm qualified as a pharmacist I haven't worked in a pharmacy for several years. Singing is full time for me now, alongside my work with Only Kids Aloud and Only Boys Aloud.

Have you had any on-stage disasters?
I'm a serial trouser ripper, and have had my pants on show on stage on several occasions! I think I need bigger trousers…

What are the challenges for you in OMA?
I find singing in foreign languages stimulating, but it does create more work, as to perform successfully you have to understand every word being sung. So my dictionaries get plenty of use.

Wyn Davies | **Born: Neath, January 1985** | **Favourite food: peanut butter** | **Favourite drink: port**

Dan

Beth yw dy waith?

Rwy'n Ymchwilydd Cerddoriaeth ar gyfer Teledu Avanti, yn gweithio ar gynyrchiadau fel Eisteddfod yr Urdd, *Cân i Gymru* a digwyddiadau cerddorol mawr eraill.

Sut fyddi di'n ymlacio?

Oherwydd fy mod i'n gweithio yn ystod y dydd ac yn mynd yn syth i naill ai OMA neu OBA, does gen i fawr o amser sbâr, ond pan fydd gen i amser, bydda i'n ei dreulio gyda fy nghariad neu gyda ffrindiau. Pan gaf i gyfle i goginio, rwy'n hoffi paratoi pryd neis i mi fy hun neu i grŵp ohonom ni

Sut ddechreuodd dy ddiddordeb mewn cerddoriaeth?

Ro'n i'n *boy soprano*. I ysgol gynradd Gymraeg Ysgol y Wern ac Ysgol Gyfun Gymraeg Glantaf yr es i, ac roedd cerddoriaeth yn bwysig yno, yn ogystal â gartre. Fe ges i fy magu mewn teulu cerddorol felly ro'n i'n cael fy annog i ymuno â chorau ac *ensembles* o oed ifanc, yn enwedig grwpiau sirol, ond mae gwrando ar gerddorfeydd enwog a chorau ardderchog wedi fy annog i wneud cerddoriaeth yn rhan hanfodol o fy mywyd.

What is your job?

I'm a Music Researcher for Avanti Television, working on productions such as the Urdd Eisteddfod, *Cân i Gymru* and other major music events.

How do you relax?

Because I work during the day and go straight to either OMA or OBA, I don't have much spare time, but when I do, I enjoy spending it with my girlfriend or with friends. When I get a chance to cook, I like making a nice meal for myself or even a group of us.

How did your interest in music start?

I was a classic boy soprano. I went to Ysgol y Wern Primary School and Ysgol Gyfun Gymraeg Glantaf, and music was important there, as well as at home. I grew up in a musical family so was encouraged to be involved with choirs and various ensembles from an early age, especially with county groups, but listening to famous orchestras and excellent choirs has encouraged me to make music a very important part of my life.

#2 TENOR

HEN WLAD
FY NHADAU

Mae hen wlad fy nhadau yn annwyl i mi,
Gwlad beirdd a chantorion, enwogion o fri;
Ei gwrol ryfelwyr, gwladgarwyr tra mad,
Dros ryddid collasant eu gwaed.

(Cytgan)
      Gwlad, gwlad, pleidiol wyf i'm gwlad.
      Tra môr yn fur i'r bur hoff bau,
      O bydded i'r hen iaith barhau.

Hen Gymru fynyddig, paradwys y bardd,
Pob dyffryn, pob clogwyn, i'm golwg sydd hardd;
Trwy deimlad gwladgarol, mor swynol yw si
Ei nentydd, afonydd, i mi.
(Cytgan)

Os treisiodd y gelyn fy ngwlad dan ei droed,
Mae hen iaith y Cymry mor fyw ag erioed,
Ni luddiwyd yr awen gan erchyll law brad,
Na thelyn berseiniol fy ngwlad.
(Cytgan)

Wyddech chi mai Cymru oedd y wlad gyntaf i ganu anthem genedlaethol cyn achlysur chwaraeon?
Yn 1905, roedd Cymru'n wynebu Seland Newydd ar y maes rygbi, ac mewn ymateb i haka'r Crysau Duon, gofynnodd rheolwr Cymru, Tom Williams, i un o'r chwaraewyr arwain y dorf i ganu 'Hen Wlad fy Nhadau'. Byth ers hynny, cenir anthemau cenedlaethol cyn gêmau rhyngwladol bob amser.

THE LAND OF MY FATHERS

The land of my fathers is dear unto me,
Where poets and minstrels are honoured and free:
Its warring defenders, so gallant and brave,
For freedom their life's blood they gave.

(Chorus)
  Land, land, true I am to my land!
  While seas secure
  This land so pure,
  Oh may our old language endure.

Oh land of the mountains, the bard's paradise,
Whose precipice, valleys lone as the skies,
Green murmuring forest, far echoing flood
Fire the fancy and quicken the blood.
(Chorus)

For tho' the fierce foeman has ravaged your realm,
The old speech of Wales he cannot o'erwhelm,
Our passionate poets to silence command
Or banish the harp from your strand.
(Chorus)

Ben

Ydy ffitrwydd yn bwysig i ti?
Rwy'n mwynhau chwaraeon ac rwy'n ceisio cadw'n heini, felly rwy'n treulio tipyn o amser yn chwarae pêl-droed gyda bois y côr ac mewn tîm 5 bob ochr. Dwi wedi prynu beic felly dwi'n seiclo a bydda i'n mynd i redeg yn rheolaidd. Gobeithio y galla i gymryd rhan mewn duathlon yn 2012! Hefyd, dwi'n dwlu hedfan a gleidio ond dwi ddim wedi bod yn yr awyr ers blwyddyn neu ddwy nawr; dwi'n gobeithio y byddaf yn cwrso'r cymylau eto cyn bo hir.

Pa fath o gerddoriaeth wyt ti'n ei hoffi orau?
Cerddoriaeth Baróc yw'r gorau gen i. Y dylanwadau mwyaf arna i yw oratorios ac anthemau Coroni Handel, ac fel tenor, rwy'n gwrando ar denoriaid mawr fel Stuart Burrows, John Mark Ainsley a Robert Tear.

Sut wyt ti'n ymdopi â dawnsio a chanu ar yr un pryd?
Mae'n rhaid cael rhythm, sbo. Gall y symudiadau fod yn anodd i'w dysgu, ac mae'n fwy anodd newid rhywbeth na dysgu o'r dechrau'n deg. Diolch byth, rydyn ni'n ymarfer cryn dipyn felly rydyn ni'n ddigon hyderus i ddawnsio heb feddwl am y peth.

Is fitness important to you?
I enjoy sports and try to keep fit so I spend a lot of time playing football with the boys in the choir and I play in a 5-a-side league. I've bought a bike so I'm cycling and I go out running regularly. Hopefully I'll take part in a duathlon in 2012! Also I love flying and gliding but haven't been in the sky for a few years now; I hope to be chasing the clouds again soon.

What kind of music do you like best?
Baroque music is my favourite. My biggest musical influences are Handel's oratorios and Coronation anthems and as a tenor, I listen to great tenors such as Stuart Burrows, John Mark Ainsley and Robert Tear.

How do you cope with dancing and singing at the same time?
I suppose it comes down to rhythm. The routines can be difficult to learn and sometimes changing something can be harder than learning from scratch. We rehearse a lot so we're confident enough to dance without thinking about it.

ı Smith | **Born: Church Village, January 1990** | **Favourite place: Sardis Road rugby ground, Pontypridd [above]** | **Favourite TV:** *Masterchef*

\#1 TENOR

> Bu OMA yn gweithio'n galed i godi arian ar gyfer achosion da ers sefydlu'r côr. Rhai o'r elusennau sydd wedi derbyn cenfogaeth yw Amser Justin Time, Shelter Cymru, y Lleng Brydeinig, cronfa daeargryn Haiti, Cronfa daeargryn Hati, Cronfa Ray Gravell, Sefydliad Aren Cymru ac apêl Arch Noa.

LLEISIO CEFNOGAETH

VOICING SUPPORT

> OMA have worked hard to raise money for good causes since the choir was founded. A few of the charities which have been supported are Amser Justin Time, Shelter Cymru, the Royal British Legion, the Haiti earthquake fund, the Ray Gravell Fund, Kidney Wales Foundation and the Noah's Ark appeal.

CYNGERDD
COTHI
AMSER
JUSTIN
TIME

05.09.09
20/00

Pafiliwn Bont
Pontrhydfendigaid
pafiliwnbont.co.uk
01974 831635
£16

ONLY MEN ALOUD!
MD Tim Rhys Evans
John Owen Jones
Caryl Parry Jones
Shân Cothi
MD John Quirk

Hugh

MAE DYSGU'R
DAWNSIO YN
YMDEBYGU I GEISIO
DRINGO MYNYDD –
ANODD TRA BYDDWCH
CHI WRTHI, OND YN
WERTH CHWEIL PAN
FYDDWCH CHI WEDI'I
GONCRO

Hugh Strathern | **Ganwyd: Port Moresby, Papwa Gini Newydd, Mai 1975** | **Hoff fwyd: siocled** | **Hoff ddiod: whisgi**

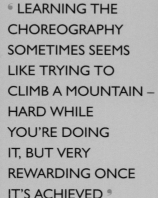

‘ LEARNING THE CHOREOGRAPHY SOMETIMES SEEMS LIKE TRYING TO CLIMB A MOUNTAIN – HARD WHILE YOU’RE DOING IT, BUT VERY REWARDING ONCE IT’S ACHIEVED ’

Wyt ti’n mwynhau canu mewn iaith dramor?
Dwi wedi canu mewn sawl iaith wahanol.
A dweud y gwir dwi’n bur hoff o ganu yn
Gymraeg: unwaith y bydd rhywun wedi
cyfarwyddo â rhai o’r cytseiniaid mwyaf anodd,
mae’r llafariaid yn hyfryd ar gyfer y llais.

Sut wyt ti’n hoffi ymlacio?
Rwy’n hoffi darllen a mynd i’r sinema. Rwy hefyd
wrth fy modd yn mynd allan a mwynhau’r wlad
o amgylch Caerdydd ar gefn fy meic, yn enwedig
Mynydd y Garth, i’r gogledd o Gaerdydd.
Mae’r golygfeydd o’r copa yn fythgofiadwy.

**Wyt ti erioed wedi cael tro trwstan ar
lwyfan?**
Fe ddisgynnais ar lwyfan unwaith yn ystod
cynhyrchiad coleg a diweddu o dan y piano.
Pan godais fy mhen er mwyn edrych ar
y person oedd yn canu i mi, fe drawais fy mhen
ar y piano. Bu’n rhaid i mi ganu gweddill
yr act â ’mhen yn troi!

**Do you enjoy singing in a foreign
language?**
I have sung in quite a few foreign languages.
I actually rather like singing in Welsh: once you
get round some of the more tricky consonants,
the vowels are nice for the voice.

How do you like to relax?
I like to read and go to the cinema. I also love
to go out and enjoy the countryside around
Cardiff on my bike, especially the Garth
Mountain, north of Cardiff. The views from
the top are panoramic and breathtaking.

**Have you experienced any on-stage
mishaps?**
I once fell down on stage during a production
at college and ended up underneath the piano.
When I lifted my head so I could look at
the person who was singing to me, I banged
my head on the piano. I sang the rest of the act
with mild concussion!

AR LAN Y MÔR

Ar lan y môr mae rhosys cochion,
Ar lan y môr mae lilis gwynion,
Ar lan y môr mae 'nghariad inne
Yn cysgu'r nos a chodi'r bore.

Ar lan y môr mae carreg wastad
Lle bûm yn siarad gair â'm cariad,
O amgylch hon fe dyf y lili
Ac ambell sbrigyn o rosmari.

Ar lan y môr mae cerrig gleision,
Ar lan y môr mae blodau'r meibion,
Ar lan y môr mae pob rhinweddau,
Ar lan y môr mae 'nghariad innau.

Llawn iawn yw'r môr o swnd a chregyn,
Llawn iawn yw'r wy o wyn a melyn,
Llawn iawn yw'r coed o ddail a blode,
Llawn iawn o gariad ydwyf inne.

Blodau'r meibion / gold flowers = St John's Wort

Beside the sea red roses growing,
Beside the sea white lilies showing,
Beside the sea their beauty telling
My true love sleeps within her dwelling.

Beside the sea flat stones lie scattered
Where tender words in love were uttered,
While all around there grew the lily
And some sweet branches of rosemary.

Beside the sea blue pebbles lying,
Beside the sea gold flowers glowing,
Beside the sea are all things fairest,
Beside the sea I found my dearest.

Full is the sea of sand and billows,
Full is the egg of whites and yellows,
Full are the woods of leaf and flower,
Full is my heart of love for ever.

English translation by Malcolm Cowen

Nick

Pa gerddoriaeth sydd wedi cael dylanwad arnat ti?

Gan mod i'n blentyn y saithdegau ac yn fy arddegau yn yr wythdegau, a chan fod gen i lawer o frodyr a chwiorydd hŷn, mae fy chwaeth gerddorol yn eang ac amrywiol. O The Who a Blondie yn ystod fy mhlentyndod cynnar, i gerddoriaeth glasurol a *jazz* yn y cyfnod pan oeddwn yn yr ysgol ac ar ddechrau fy ngyrfa fel actor/cerddor. Fe gefais gyfnod yn fy nauddegau cynnar pan oeddwn yn gwrando ar gerddoriaeth Finimal a byddwn yn treulio oriau bwy-gilydd yn gwrando ar Philip Glass a Michael Nyman. Rwy'n cofio ceisio ysgrifennu darn o gerddoriaeth yn yr arddull honno – a rhoi'r gorau iddi'n llwyr am ei fod mor ofnadwy!

Sut fyddi di'n hoffi ymlacio?

Pan fydd gen i amser, rwy'n hoffi mynd i'r sinema neu'r theatr a bwrw'r Sul yn Llundain. Ond dwi'r un mor hoff o dreulio amser yng nghefn gwlad. Gyda bryniau Cymru ar garreg fy nrws, a chi bywiog iawn yn mynnu fy sylw, mi fydda i'n cerdded cryn dipyn.

Wyt ti wedi profi unrhyw droeon trwstan ar lwyfan?

Wel, weithiau bydd meicroffon radio'n gwrthod gweithio, neu bydd rhywun yn anghofio'i ddiffodd ar ôl dod oddi ar y llwyfan. Weithiau bydd y gynulleidfa'n clywed rhywbeth na ddylen nhw!

What music has influenced you?

Being a child of the 70s and a teenager of the 80s and having been surrounded by older brothers and sisters, my taste in music is wide and varied. From The Who and Blondie during my early childhood, through to classical and jazz during my school years and early career as an actor/musician. I went through a phase in my early twenties of listening to Minimalist music and spent a huge proportion of my time listening to Philip Glass and Michael Nyman. I remember trying to write a piece of music in a minimalistic style – and abandoning it because it was so awful!

How do you like to relax?

When I get free time, I like going to the cinema or theatre and spending weekends in London. Equally I like spending time out and about in the countryside. With the Welsh hills on my doorstep and a very demanding dog, I spend a lot of time walking.

Have you experienced any on-stage mishaps?

Well, it is usually something to do with a radio microphone going wrong, or being left on when someone is off stage. Sometimes the audience hears things it shouldn't!

Nick Wayland-Evans | **Born: Builth Wells, April 1971** | **Favourite food: cheese** | **Favourite drink: wine – red or rosé**

OMANIACS!

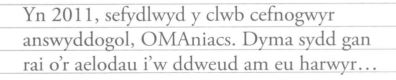

Yn 2011, sefydlwyd y clwb cefnogwyr answyddogol, OMAniacs. Dyma sydd gan rai o'r aelodau i'w ddweud am eu harwyr…

Hir y parhao Only Men Aloud i 'Deyrnasu dros y Byd'!

JANE PRITCHARD

Rwy'n dwlu ar yr angerdd a'r llawenydd y bydd OMA yn ei roi i bob cân! Gallwch chi ei weld e yn eu hwynebau a'i glywed yn eu lleisiau. Fy hoff foment OMA? Agoriad cyngerdd Nadolig 2009 – ennyd i yrru ias i lawr y cefn. Daliwch ati i wneud y peth rydych chi'n ei garu.

CERI MILBOURNE

Rydw i'n hoffi OMA oherwydd mae pob un ohonyn nhw'n gantorion unigol dawnus ac maen nhw'n gallu harmoneiddio mor llwyddiannus mewn cynifer o rannau. Maen nhw'n rhoi cymaint o bleser i mi, maen nhw'n fechgyn grêt.

JOAN BROWN

Rydw i wedi'u gweld nhw ar y teledu, yn fyw ar lwyfan ac yn canu'n ddigyfeiliant yn y Coleg Cerdd a Drama. Bob tro, maen nhw wedi ein diddanu gyda'u sain arbennig a'u talentau lu, gan apelio at bob oedran a'n gadael ni'n ysu am y perfformiad nesaf. Maen nhw'n ysbrydoliaeth enfawr i bob un ohonom sy'n arwain côr meibion. Diolch yn fawr.

JUDITH LAND

As a self-confessed OMAniac I watch and listen to Only Men Aloud all the time and try to see them in concert as often as possible. Their singing and dancing are a constant joy, but be warned, the beauty of their voices can also reduce you to tears.

JANE PRITCHARD | Jane Pritchard

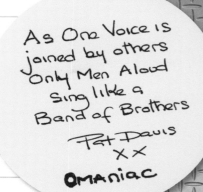

ONLY MEN ALOUD

In 2011, the unofficial fan-club, OMAniacs, was formed. Here's what some of the members had to say about their heroes…

Long may Only Men Aloud continue to 'Rule the World'.

JANE PRITCHARD

I love the passion and joy OMA put into every song! You can see it in their faces and hear it in their voices. My favourite OMA moment? The opener of the 2009 Christmas concert – a spine-tingling moment. Keep doing what you love.

CERI MILBOURNE

I enjoy OMA because they are individually talented singers and they harmonize successfully in so many parts.. They just give me so much pleasure, they are great boys.

JOAN BROWN

As One Voice is joined by others Only Men Aloud Sing like a Band of Brothers

Pat Davis
x x

OMAniac

I have seen them on TV, live in stage productions and singing acoustically at the RWCMD. Each time they have entertained us with their musicality and versatility, appealing to all age groups and leaving us looking forward to their next performance. They are a great inspiration to those of us who conduct a male voice choir. Diolch yn fawr.

JUDITH LAND

ONLY MEN ALOUD RULE MY WORLD!

There's no denying it!!

Lynne   (LYNNE HILL)
xxxx

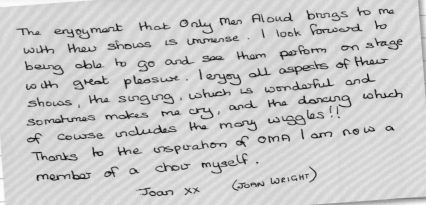

The enjoyment that Only Men Aloud brings to me with their shows is immense. I look forward to being able to go and see them perform on stage with great pleasure. I enjoy all aspects of their shows, the singing, which is wonderful and sometimes makes me cry, and the dancing which of course includes the many wiggles!! Thanks to the inspiration of OMA I am now a member of a choir myself.

Joan xx   (JOAN WRIGHT)

Mae fy ngŵr yn dweud bod fy wyneb yn goleuo pan glywa i OMA! Roeddwn i wrth fy modd i gwrdd â'r Bois yng Nghaerdydd. Maen nhw'n mynd o nerth i nerth! Viva OMA!

MERYL JONES

Only Men Aloud — melys moes mwy! Gwerthfawrogir yn fawr yr amser y byddwch hi'n ei dreulio'n sgwrsio ar ôl y sioeau — diolch!

JOAN WRIGHT

Only Men Aloud oedd y rheswm pam yr ymunais â chôr lleol, felly diolch, Tim Rh-E a phawb yn OMA am greu cerddoriaeth mor fendigedg ac ysbrydoli pobl i roi cynnig ar wneud yr un peth ac, o ganlyniad, brofi llawenydd canu gydag eraill. Daliwch ati, bois, fyddai bywyd ddim yr un peth hebddoch chi!

LYNNE HILL

I am a huge fan of Welsh Male Voice Choirs but I must say Only Men Aloud have that "something" extra — with their unique performances — every time I see them I come away elated and say Roll on to the Next one. Thank you to Tim and the "boys" lets keep the party going. Well Done. Best Wishes to all Carol

Rydw i'n 68 mlwydd oed ac maen nhw'n gwneud i mi deimlo'n 28 pan glywa i nhw'n canu. A Tim? Mae e mor ddawnus. Fe yw tywysog y gân. Hir oes i OMA.

MARLENE HAWKER

My husband says that my face lights up at the mention of OMA! I was thrilled to meet the Boys in Cardiff. They are so natural, friendly and 'cwtchy'. They go from strength to strength! Viva OMA!

MERYL JONES

Only Men Aloud – 'Music to my ears!' The time you spend chatting after the shows is always appreciated – thank you!

JOAN WRIGHT

Only Men Aloud were the reason I joined a local choir, so thank you, Tim R-E and all of OMA for making such wonderful music and inspiring people to attempt to do the same and so experience the joy of singing with others. Keep up the good work, boys, life wouldn't be the same without you!

LYNNE HILL

I am 68 years old and they make me feel 28 when I hear them sing. As for Tim, he is so talented. He is the prince of song. Long may OMA continue.

MARLENE HAWKER

OMANIACS

E-mail: omaniacs_@hotmail.co.uk
Twitter: @OMAniacs_
Facebook: OMAniacs
Post: OMAniacs
PO Box 720
Chesterfield
Derbyshire
S40 9LA

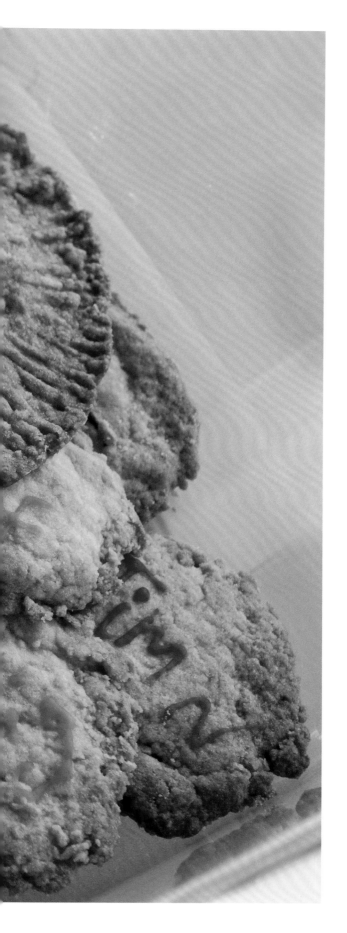

Diolch i holl aelodau Only Men Aloud ddoe a heddiw, a'r tîm ymroddedig sy'n rhedeg y côr, gan gynnwys y cwmni rheoli, am eu cydweithrediad wrth baratoi'r gyfrol hon. Diolch hefyd i bawb yn Avanti am ganiatáu mynediad llawn yn ystod ffilmio'r gyfres deledu. Ac yn fwy na dim, diolch i chi, am garu'r gân a'i chantorion.

Thanks to all the members of Only Men Aloud past and present, along with the dedicated team who run the choir, including the management company, for their co-operation during the preparation of this book. Thanks also to all at Avanti for allowing full access during the filming of the television series. But mainly, thanks to you, for loving the song and its singers.

Recordiau / Discography

Only Men Aloud
Men Aloud: Live from Wales
Band of Brothers
Only Men Aloud in Festive Mood

ALUMNI

> Er bod y gyfrol hon yn canolbwyntio ar aelodau presennol OMA, hoffai'r côr gydnabod cyfraniad aruthrol pob aelod a fu'n ymwneud â hwy ers ei sefydlu. Dyma restr o'r holl gyn-aelodau a fu'n gorff ac enaid i Only Men Aloud ers 2000.

> Although this book concentrates on the current members of OMA, the choir would like to acknowledge the immense contribution of each member since the choir's inception. Here is a list of all the past members who contributed to the lifeblood of Only Men Aloud since 2000.

Jody Bell
David Boucher
James Brash
Jonathan Bridge
Neil Buffin
Aled Davies
Owen Davies
Tim Edwards
Huw Euron
Gareth Evans
Peter James Horton
Jeffrey Howard
Chris Howells
Matthew Ibbotson
Alun Rhys Jenkins
Andrew Jenkins
Alan Jones
Huw Llywelyn Jones
Paul Jones
Thomas Oliver Jones
Ross Leadbeater

Rhidian Marc
Richard Monk
D. Huw Morgan
Joe Morgan
Gareth Morris-Watkins
Cerys Moseley
Gareth Moss
Sion Owen
Aled Pedrick
Deiniol Rees
Stewart Roberts
Jon Robyns
Osian Rowlands
Matthew Ioan Sims
Ben Stokes
Noel Sullivan
David Thaxton
Aled Powys Williams
Gareth Williams
Alan Winner

104

Cydnabyddiaethau / Acknowledgements

Cyhoeddwyd yn 2011 gan Wasg Gomer,
Llandysul, Ceredigion SA44 4JL

ISBN 978-1-84851-429-4

Hawlfraint © Gwasg Gomer 2011

Geiriau: Bethan Mair
Dylunio: Rebecca Ingleby Davies,
mopublications.com
Lluniau © Emyr Young 2011
(oni nodir yn wahanol)

Dymuna'r cyhoeddwyr gydnabod
cymorth ariannol Cyngor Llyfrau Cymru

Argraffwyd a rhwymwyd yng Nghymru
gan Wasg Gomer, Llandysul, Ceredigion

>

Published in 2011 by Gomer Press,
Llandysul, Ceredigion SA44 4JL

ISBN 978-1-84851-429-4

Copyright © Gomer Press 2011

Words: Bethan Mair
Design: Rebecca Ingleby Davies,
mopublications.com
Photographs © Emyr Young 2011
(unless otherwise stated)

The publishers wish to acknowledge
the financial support of the
Welsh Books Council

Printed and bound in Wales at
Gomer Press, Llandysul Ceredigion

Geiriau
Lyrics

Geiriau Saesneg 'Ar Lan y Môr'
gan Malcolm Cowen,
www.ebook.cowensw.co.uk /
English words for 'Ar Lan y Môr'
by Malcolm Cowen,
www.ebook.cowensw.co.uk

'Hushabye Mountain' Geiriau a'r
Gerddoriaeth gan Richard Sherman
a Robert Sherman © 1968,
Ailgynhyrchwyd drwy ganiatâd EMI
Music Publishing, Llundain W8 5SW /
'Hushabye Mountain' Words
and Music by Richard Sherman
and Robert Sherman © 1968,
Reproduced by permission of EMI
Music Publishing, London W8 5SW

Ffotograffwyr delweddau unigol
Individual image photographers

Côr Cymru 2003: S4C
Last Choir Standing: Stefan Klenke, OMA
Viva USA!: OMA
Tour de force: OMA, Nigel Hopkins
Ffrindiau Talentog / Talented Friends: OMA
Lluniau eraill / Other photos:
Glenn Edwards (EM Y Frenhines / HM The
Queen), Huw John (Shân Cothi, Catherine
Zeta Jones), David Williams (Ryder Cup),
Emyr Young (Steffan Morris), Nigel Hopkins
(Katie Treharne), Adloniant Orchard
Entertainment (Sophie Evans & OMA)
OBA: Patrick Olner
Lleisio Cefnogaeth / Voicing Support: Michael
Hall (Sefydliad Aren Cymru / Kidney Wales
Foundation)
OMAniacs: Stefan Klenke, Emyr Young